© Kaléidoscope 2011
11, rue de Sèvres, 75006 Paris
Loi n° 49.956 du 16 juillet 1949 sur les publications
destinées à la jeunesse : mars 2011
Dépôt légal : mars 2011
ISBN 978-2-877-67705-9
Imprimé en Italie

Diffusion l'école des loisirs

www.editions-kaleidoscope.com

Stéphane Sénégas

Qu'est-ce que tu vois ?

kaléidoscope

S'il vous plaît, ne me laissez pas !
Trop tard. Papa et maman
m'abandonnent au pied du phare
de l'oncle Horace.

Pour une semaine. Sept jours sans copains, sans vélo,
sans télé, sans rien de rien.
« Allons, fais pas cette tête de bigorneau ! »
dit l'oncle Horace.
« Mais y a rien, ici ! » je dis.
« C'est peut-être toi qui ne vois rien, petiot. »

En plus, il se moque de moi.
Bigorneau toi-même, je pense tout bas.

Au dîner, oncle Horace propose d'aller à la pêche aux crabes.
« Maintenant ? »
« Non, petiot. Ils dorment maintenant.
Nous irons demain matin, et si la chance est avec nous,
je te présenterai le vieux Robert. »

« Quel vieux Robert ? » Mais le bruit des vagues couvre ma voix.
Oncle Horace m'a emmené tout en haut du phare,
là où la grande lumière tourne et il me demande :
« Qu'est-ce que tu vois ? »
Et moi pour l'embêter je réponds :
« Pourquoi, il y a quelque chose à voir ? » Et toc.

J'ai du mal à m'endormir, évidemment.
Je regrette d'avoir été méchant
et puis l'oncle Horace, quand il dort,
il fait plus de bruit que l'océan.

Tandis que nous prenons
notre petit-déjeuner
(du chocolat chaud
avec des harengs fumés, miam !),
oncle Horace m'explique
comment on pêche les crabes.
J'ai tout compris :
oncle Horace est un pirate
et le vieux Robert
est un autre pirate de ses amis
et la pêche aux crabes
est un nom de code
pour la chasse au trésor.

la pêche aux crabe

du fil

poser la tête de poisso
sur le rocher

En fait, ce sont bien des crabes que l'oncle Horace sort de l'eau.
J'aimerais être à sa place. Moi je n'attrape rien.

Soudain, je sens une forte secousse
et l'oncle Horace s'écrie :
« C'est lui ! Tiens bon, petit, j'arrive ! »

« C'est le vieux Robert
dont je te parlais.
Doucement, petit, doucement »,
dit mon oncle.

Et tous les deux nous tirons
aussi doucement
et fermement que nous pouvons
et nous sortons le vieux Robert
de la mer, mais au moment
où mon oncle
approche le seau pour l'y jeter,
le gros crabe lâche prise
et retourne
dans les eaux sombres.

« Ah, ce sacré Robert !
dit mon oncle.
En tout cas, bravo, petiot,
je suis fier de toi ! »

Nous passons l'après-midi dans le potager,
oncle Horace me fait goûter plein de choses délicieuses,
des tomates aux formes bizarres,
des plantes aromatiques, des fraises au goût de bonbon,
des framboises, et même des fleurs.
Pour le remercier, je transporte le cageot de légumes.
Pffff ! À force de grimper ces escaliers,
oncle Horace doit avoir des mollets d'acier !

Après le dîner, nous montons tout en haut du phare
et mon oncle me prend la main. Le vent souffle par rafales.
Nous faisons lentement le tour du balcon.
Je sais exactement ce que je répondrai quand mon oncle
me demandera ce que je vois.
Mais il ne me demande rien.
Il dit seulement :
« Ça va secouer cette nuit, petit. »

Une lumière éblouissante me réveille,
suivie d'un bruit de canon.
Mon oncle a disparu. J'entends l'orage qui gronde.
Je grimpe l'escalier à toutes jambes,
mon oncle est sur le balcon,
il scrute la mer pour s'assurer
qu'aucun bateau n'est en danger.

Puis le vent se calme, la tempête s'apaise
et mon oncle me ramène dans mon lit.

À mon réveil, l'océan est bleu, il fait grand soleil.
Je me promène sur la plage. Déjà une semaine que je suis là.
Demain, mes parents viennent me chercher.

C'est la dernière fois que nous montons
tout en haut sur le balcon tout rond.
Je dis à mon oncle :
« Tu as vu ? »
Il me regarde, me fait un clin d'œil
et il me répond :
« Non, pourquoi,
il y a quelque chose à voir ? »

POUR QU'UNE CHOSE SOIT
INTERESSANTE, IL SUFFIT DE
LA REGARDER LONGTEMPS.

FLAUBERT